조민기

역사 덕후, 작가가 되다

역사를 전공하지 않은 역사 작가로 대학에서 문화인류학을 전공했다. 한 시대를 흔들었던 아름다운 인물에 대한 애정을 팬의 마음으로 연재한 칼럼 <꽃미남 중독>이 뜨거운 호응을 받으며 칼럼니스트로 자리매김했고 <외조 - 성공한 여자를 만든 남자의 비결>을 펴내며 작가가 되었다.

역사는 이야기다

잘 알려진 역사의 측면과 이면에 존재하는 숨은 이야기를 찾아서 생생하게 전달하는 역사 스토리텔러이자 역사와 인물에 대한 애정과 관심을 바탕으로 다섯 권의 역사책을 펴낸 베스트셀러 작가이자 강사로 활동하고 있다.

지금까지 펴낸 책

<외조 - 성공한 여자를 만든 남자의 비결> <조선임금잔혹사> <조선의 2인자들> <세계사를 움직인 위대한 여인들> <부처님의 십대제자 - 경전 속 꽃미남 찾기> <그녀는 다시 태어나지 않기로 했다 - 붓다를 만난 여인들> 영화소설 <봄> 창작 그림 동화 <친구를 만나러 왔어요> 육아에세이 <아기부처 엄마보살> 역사 시리즈 <3분 실록>, <3분 실록 - 권력을 탐하다> 등

한 장면으로 시작하는 조선왕조실록 2

『한 장면으로 시작하는 조선왕조실록』 시리즈

역사를 읽는 새로운 방식, 중요한 역사를 만든 그 날의 한 장면부터 시작해 역사 속 인물을 더욱 입체적으로 들여다봅니다. 왕과 신하, 왕비와 궁녀, 충신과 간신, 사랑과 음모, 전쟁과 개혁까지 조선왕조실록이 기록한 그 날을 재현합니다.

『한 장면으로 시작하는 조선왕조실록』의 특징

1. 역사 인물과 사건을 생생하게 묘사한 '그날의 한 장면'으로 역사를 바라봅니다.
2. 정사를 기반으로 이야기를 풀어내어 신뢰할 만한 역사적 해석을 제공합니다.
3. 가볍고 작은 판형으로 언제 어디서나 쉽게 읽고 활용할 수 있습니다.
4. 역사적 사건과 인물을 객관적으로 바라보고 해석할 수 있습니다.
5. 연표와 도표를 통해 등장인물의 관계를 쉽게 파악할 수 있습니다.

『한 장면으로 시작하는 조선왕조실록』 시리즈는 계속됩니다.

"형님."

군사들에게 끌려온 방석의 목소리가 가늘게 떨렸다. 극도의 두려움 속에서도 끝까지 세자의 위엄을 지키려고 안간힘을 쓰던 방석은 피로 얼룩진 칼을 빼든 방원과 마주치는 순간 다리가 풀렸다. 제 어미인 강비[1]를 닮은 곱상한 얼굴이 하얗게 질

1) 이성계의 두 번째 부인인 신덕왕후 강 씨.

려있었다. 문득 고향에서 막 상경하여 어리숙하던 자신을 따뜻하게 맞아주었던 '개경 어머니' 강비를 처음 만났던 날이 떠올랐다. 새엄마를 볼 때마다 헤벌쭉 웃음부터 짓던 아버지는 고향에 있을 때와 전혀 다른 사람 같았다. 그때 방원은 아름답고 기품 있는 강비를 보면서 이렇게 예쁜 새엄마가 있으니 아버지가 고향에 내려오지 않을 만도 하다고 생각했다.

'네가 내 아들이 아닌 것이 이 어미는 천추의 한이다.'

과거 응시를 준비하며 열심히 공부하는 자신을 흐뭇한 표정으로 응원해주던 강비의 목소리가 들리는 것 같았다. 그때 방원은 새어머니에게 자신의 마음을 들킨 것 같아 뜨끔했다. 개성에 올라온 후 방원은 종종 자신이 강비의 아들이면 얼마나 좋을까 상상하곤 했기 때문이다. 그때 강비의 배 속에는 방석이 있었다. 그 방석이 훗날 자신을 누르고 세자가 될 줄은 꿈에도 몰랐다. 그리고 그 방석을 자신의 손으로 제거하게 되는 날이 오리라고는 상상조차 해본 적이 없었다. 순진하게도 그때는 그랬다.

'내 뜻을 이루어줄 사람은 반드시 방원이 너일 것이다.'

마침내 과거에 합격하던 날, 아버지가 눈물을 글썽이며 대궐을 향해 절을 올리던 모습도 생각이 났다. 오르지 못할 나무라면 꿈도 꾸지 못하게 할 것이지 온갖 달

콤한 말을 속삭여놓고, 온갖 더럽고 추악한 뒤치다꺼리는 다 맡겨놓고 정작 세자를 책봉할 때는 야멸차게 등을 돌려버린 아버지와 강비를 생각하자 새삼 가슴에서 불이 솟는 것 같았다. 방원의 눈에 살기가 돌자 방석의 얼굴은 더욱 창백해졌다.

"형님!"

방석이 바들바들 떨리는 목소리로 애원하듯 방원을 바라보았다.

"베어라!"

방원은 아무 감정도 실리지 않은 건조한 말투로 한 치의 망설임도 없이 명령을 내렸다. 방석은 그만 눈을 질끈 감아버렸다.

애증의 부자父子, 이방원과 이성계

조선을 건국한 이성계가 왕위에 앉은 기간은 단 7년이었다. 이성계가 왕위에서 물러난 이유는 아들들이 왕위를 놓고 벌인 피의 다툼 때문이었다. 두 번에 걸친 왕자의 난이 끝난 후, 이방원은 조선 제3대 태종으로 즉위했다. 건국된 지 겨우 9년 만에 임금이 세 번이나 바뀐 조선의 앞날은 그때부터 비로소

창창해지기 시작했다.

왕위에 오른 이방원은 왕권 중심의 중앙 집권 체제를 구축하여 조선 왕조 500년의 기틀을 세웠다. 그래서 이방원은 제2의 창업 군주로 불린다. 하지만 그가 왕위에 오르기까지의 과정은 고난과 역경의 연속이었다. 이성계와 이방원은 부자 관계에서 정치적 경쟁자가 되었고 그 과정에서 서로를 사랑하고 증오하고 화해하며 드라마 같은 역사를 만들어냈다.

조선이 건국되기 전, 어린 이방원은 이성계의 꿈을 이뤄준 아들이었다. 17살의 나이로 과거에 합격한 그는 변방의 무사였던 이성계의 콤플렉스와 한을 단박에 풀어주었다. 이성계의 여덟 아들 중 과거에 합격한 것은 이방원이 유일했다. 합격증을 본 이성계는 궁궐을 향해 절을 하며 눈물을 흘릴 만큼 감격하였고 이방원을 자랑스러워했다. 게다가 이방원은 여흥 민 씨 가문의 실세이자 성균관 사성인 '민제'의 딸과 혼인하여 이성계의 어깨를 으쓱하게 해주었다.

이성계가 정치적 흠결이 없고 학문적으로 존경받는 가문과 가족이 될 수 있었던 것은 이방원 덕분이었다. 그렇게 이성계의 자랑이었던 이방원은 조선 건국을 앞둔 마지막 순간, 이성계와 멀어졌다. 고려의 충신이자 이성계의 오랜 동지였던 정몽주를 제거했기 때문이다. 이방원은 밝은 대낮, 많은 사람이 오가는 다리위에서 조선 건국의 가장 큰 걸림돌이었던 정몽주를 때려죽였다. 은밀한 암살이 아닌 공개된 장소에서 벌어진 명백한 살인이었다.

정몽주의 죽음 덕분에 조선의 건국은 수월해졌으나 이성계는 개경 백성들의 지지를 잃었고, 이방원은 이성계의 사랑을 잃었다. 그 결과 조선 건국 후 이방원은 천덕꾸러기 왕자로 전락하였고 개국공신 명단에 이름을 올리지도 못했다. 하지만 그로부터 7년이 지난 1398년, 이방원은 와신상담 끝에 정도전을 제거하고 권력을 잡았고 1400년, 마침내 조선의 제3대 임금으로 즉위하였다. 정치의 귀재라 불린 이방원은 과연 어떻게 왕위에 오를 수 있었을까?

아버지의 꿈을 이뤄준 기특한 아들

공민왕16년1364년 이성계의 다섯째 아들로 태어난 이방원은 10대 초반 무렵 3살 위의 형 이방간과 함께 고향 함흥을 떠나 개경으로 올라왔다. 개경에는 이성계와 그의 둘째 부인 경처 강 씨가 있었다. 이방원과 이방간 형제가 상경한 것은 과거를 보기 위해서였다. 대대로 원나라에서 가문에 내려준 벼슬을 세습해왔던 이성계는 고려로 귀화한 후에도 전쟁에서 공을 세운 대가로 임금이 '하사'해준 벼슬만을 받아왔다. 전쟁이 잦은 변방에서 나고 자란 이성계는 과거를 준비해 본 적도, 학문을 체계적으로 공부해 본 적도 없었지만 학문을 좋아하고 학자를 좋아했다.

이방원의 형들은 이미 이성계를 따라 전장을 지휘하는 장수였기에 아직 어린 이방간과 이방원이 선택된 것이었다. 이성계는 두 아들이 열심히 공부하여 과거에 합격하기를 기대했다. 이방간은 이성계의 아들답게 공부에 뜻이 없었으나 이방원은 자신에게 주어진 시간과 기회를 소중하게 생각했다. 그는 아버지에게 특별한 아들이 되고 싶었다. 천성이었을까, 의지였을까. 학문 성취에서 이방원과 이방간의 능력은 확연한 차이가 있었다. 이방간이 어중간한 정도였다면 이방원은 노력도 했고 능력도 따라주었다.

실록에 따르면 이성계의 경처 강 씨는 어린 이방원을 보며 그가 자신의 아들이 아님을 아쉬워했다고 한다. 이성계 역시 그에게 '내 뜻을 성취할 사람은 반드시 너일 것이다'라며 격려했다. 아버지의 기대를 받은 이방원은 더욱 학문에 정진하였고 우왕8년1383년 진사시에 2등으로 합격하여 성균관에 입학했다. 그리고 이듬해 병과[2] 7등, 즉 전체 10등이라는 우수한 성적으로 문과에 급제했다.

2) 고려시대 문과에 급제한 사람의 등급. 을과 3인, 병과 7인, 동진사 23인으로 을과 1등은 장원급제, 병과 1등은 전체 4등이다.

고려에 귀화한 후 목숨을 걸고 전쟁에 임하며 오로지 실력과 노력으로 중앙정계의 좁은 틈을 비집고 들어선 이성계는 이방원의 합격 소식에 감격하여 눈물을 흘리며 대궐을 향해 절을 올렸다. 이성계의 가문과 향처 한 씨의 가문 그리고 경처 강 씨의 가문을 통틀어서 최초의 과거 합격자가 탄생했다. 전장의 갑옷이 아닌 관복을 입은 문신으로 아들 이방원이 조정에서 일할 것을 생각하니 이성계는 새삼 감개무량했다.

게다가 우수한 성적으로 과거에 급제한 이방원에게는 또 다른 길이 열렸다. 이방원을 눈여겨보던 성균관 사성 민제가 그를 사위로 삼은 것이다. 당시 고려의 유력한 인물이었던 이성계의 아들이자 과거 합격생인 이방원은 최고의 사윗감이었다. 권문세족의 후손으로 신진사대부의 사상인 주자학을 받아들인 민제는 학자로 명망이 높았기에 장군인 이성계의 가문과 혼인으로 인연을 맺는 것은 대단한 화제였다. 이때 이방원의 나이는 16살, 민제의 딸은 그보다 2살이 많은 18살이었다.

고려의 관리가 아닌
조선의 왕자가
되고 싶었던 야심가

관직에 진출한 이방원은 다양한 인맥을 쌓았다. 인맥의 바탕에는 성균관 출신의 과거 시험 동기들이 있었다. 과거에 함께 합격한 동기생들은 장원 급제자를 회장으로 한 동년 모임을 만들어 결속을 다졌는데 이들은 과거 시험의 감독관을 '좌주'라고 칭하고, 스스로를 '문생'이라 부르며 끈끈한 유대감을 형성했다. 마치 스승과 제자 혹은 멘토와 멘티처럼 각별한 친목 모임을 통해 관계를 다지는 것은 성균관 출신 관리들 사이에서 전통으로 자리매김하고 있었다. 성균관 시절 민제의 제자였던 이방원은 혼인 후에도 장인 민제를 스스럼없이 '사부'라고 불렀고 성균관 사성 민제의 사위인 이방원은 자연스럽게 동년 모임의 중심이 되었다.

이방원은 동기들과의 모임에 부지런히 나가는 한편 이성계가 부르는 자리에도 빠짐없이 참석하며 당대의 유력인사들과 교류하였다. 그들 중에는 정몽주와 정도전은 물론 하륜도 있었다. 풍수지리와 관상에도 능했던 하륜은 이때 이방원의 얼굴을 보고 그가 장차 큰 인물이 될 것이라 생각했다.

초보 관료 이방원은 이내 기울어가는 고려가 아닌 역성혁명으로 눈을 돌렸다. 아버지 이성계가 새로운 왕조를 열고 새로운 나라를 세워 왕위에 오른다면 이방원은 왕자가 될 수 있었다. 이성계의 뒤를 이어 왕위에 오를 가능성도 적지 않았다. 이방원의 아내 민 씨는 남편의 야망을 이해하는 단 한 명의 동지였다. 그녀는 관직에 있으면서도 마음은 늘 다른 곳을 향해 있는 남편을 열심히 내조했다. 이방원이 민 씨와 혼인하던 해, 이성계는 고향 함흥에서 자신을 찾아온 정도전과 만났다. 정도전은 순식간에 이성계의 측근으로 자리매김했다. 이에 이방원은 고려의 장수 그 이상을 생각하기 시작한 이성계 곁에서 더 열심히 아버지의 눈에 들고자 노력했다.

위화도 회군을
성공시킨 숨은 주역

1388년 요동 정벌 당시 이성계의 장남 이방우와 차남 이방과는 최영에 의해 인질로 잡혀있는 상황이었다. 이성계가 위화도에서 군사를 돌렸다는 소식을 들은 이방원은 친어머니 한 씨와 계모 강 씨를 모시고 고향으로 향했다. 이성계의 회군을 눈치챈 우왕과 최영이 아들에 이어 아내까지 인질로 삼을 수 없도록 미리 손을 쓴 것이다. 덕분에 이성계는 가족에 안위를 걱정하지 않을 수 있었다. 최영을 사로잡은 이성계는 그를 개경으로 압송하여 처형하고 우왕을 폐위시켰다. 조정을 장악한 이성계는 9살에 불과한 우왕의 아들 '창'을 왕으로 옹립했다.

이때 창왕을 보좌하여 고려를 지키고자 했던 이색의 세력과 하루라도 빨리 조선을 건국하고자 했던 정도전의 세력이 팽팽하게 대립했다. 먼저 이색은 창왕의 책봉을 승인받기 위해 명나라로 사신을 보냈다. 형식적이라도 명나라의 승인을 받으면 이성계와 정도전이 쉽게 창왕을 제거할 수 없으리라 생각했기 때문이다. 이때 이성계의 장남 이방우가 사신단에 합류했다. 이방우는 아버지 이성계와 달리 역성혁명을 반역이라 생각하고 있었다. 이처럼 고려의 사신단은 절실한 마음으로 명 태조 주원장을 찾아갔으나 주원장은 누가 고려의 임금이 되든 간섭하지 않겠다며 사신단을 만나주지 않았다. 책봉 승인을 얻는 것에 실패하고 돌아온 이방우는 이성계가 끝내 창왕을 폐위하자 벼슬을 버리고 고향 함흥으로 내려갔다.

위화도 회군 이후 이성계의 정치적 입지는 점점 높아졌지만 가족들에게는 불행이 잇따랐다. 이방원과 민 씨 사이에서 태어난 세 아들은 모두 돌을 넘기지 못하고 요절하였고 공양왕3년1391년 이성계의 향처 한 씨와 그녀의 막내아들 이방연이 세상을 떠났다. 이방원은 사직상소를 올리고 고향으로 돌아가 어머니의 초상을 치렀다. 먼저 고향에 내려가 있던 이방우는 아버지 이성계의 반역을 한탄하며 독한 술을 마시며 세월을 보내고 있었다. 하지만 개경을 비울 수 없었던 이성계는 가족의 아픔을 보듬지 못했고 누구보다 이성계가 역성혁명을 완수하여 왕이 되

길 바랐던 이방원은 가슴이 답답했다.

이성계의 위기와 강 씨의 배신

1392년 3월, 이성계는 명나라에서 돌아오는 세자를 마중하기 위해 해주로 향했다. 개경을 벗어난 이성계는 사냥 중 낙마하여 중상을 입었고 몸조리를 위해 벽란도로 갔다. 이성계의 사고 소식을 들은 정몽주는 공양왕에게 상소를 올려 이성계의 수족을 잘라냈다. 1392년 4월 1일, 정몽주의 사주로 탄핵당한 정도전, 조준, 남은 등의 핵심 인물들이 유배를 떠났다. 상황의 긴박함을 알아챈 경처 강 씨는 사위 '이제'를 보내 이방원에게 소식을 알렸다. 어머니의 무덤 옆에 여막을 짓고 곡을 하던 이방원은 이제의 이야기를 듣자마자 벽란도로 달려갔다. 1392년 4월 2일 늦은 밤, 이방원은 이성계와 함께 개경으로 돌아왔다.

일련의 사건을 겪은 이방원과 경처 강 씨는 혁명은 물론 이성계에게도 큰 위협이 되는 정몽주를 이제는 제거해야 한다는 것에 의견이 일치했다. 이방원은 허락을 구하고자 했으나 이성계는 화를 내며 허락하지 않았다. 이성계의 반대에도 이방원은 가족들과 형제들에게 정몽주 제거 계획을 밝혔다. 계모 강 씨와 그녀의 사위 '이제'는 이방원의 결단에 찬성하며 힘을 실어주었으나 이방원의 친형들과 이성계의 심복은 반대했다. 하지만 강 씨의 허락을 얻은 이방원은 일을 추진하기로 결심했다. 일단 정몽주를 제거하고 난 후에는 경처 강 씨가 이성계를 설득하고 달랠 수 있으리라 생각했기 때문이다.

1392년 4월 4일, 정몽주는 태연하게 홀로 말을 타고 이성계의 병문안을 왔다. 정몽주는 이성계와 웃으며 담소를 나눈 뒤 돌아갔다. 이때 심복들과 함께 무기를 들고 정몽주를 따라간 이방원은 선죽교에서 그를 때려죽였다. 집으로 돌아온 이방원은 두 손에 묻은 피를 닦지도 않고 자신이 정몽주를 제거했다고 이성계에게 고백했다. 이방원의 말을 들은 이성계는 이성을 잃을 정도로 분노했다.

이성계가 마지막 순간까지 정몽주를 설득하는 것을 포기하지 않았던 것에는 이유가 있었다. 먼저 이성계는 정몽주를 좋아하고 존경했다. 전장에서, 조정에서는 존경했던 정몽주를 죽인다는 것은 상상할 수도 없는 일이었다. 두 번째로 정몽주는 왕실과 백성의 사랑을 받는 인물이자 고려의 기둥이었다. 이성계는 이미 최영을 죽인 사건으로 민심을 크게 잃었기에 '역성혁명'이 백성들의 지지를 받으려면 정몽주의 인정을 받는 것이 정말 중요했다. 하지만 이성계는 끝내 정몽주를 설득하지 못했고, 정몽주는 고려를 지키기로 결심했다.

이방원은 정몽주를 죽이지 않는다면

그가 왕을 설득하여 이성계를 반역죄로 처형했으리라 생각했다. 하지만 이성계는 절박한 상황에 대한 이방원의 판단력보다 정몽주라는 사람을 믿고자 했다. 아버지의 살기등등한 분노를 홀로 맞던 이방원은 견디다 못해 강 씨에게 도움을 청했다.

"어머니께서는 왜 변명해주지 않으십니까?"

그제야 정신을 차린 강 씨는 즉시 노여운 기색을 드러내며 이성계에게 항변했다.

"공께서는 항상 대장군으로 자부하시더니, 왜 이렇게 놀라고 두려워하십니까?"

강 씨의 한 마디에 이성계는 입을 다물었다. 하지만 이성계의 분노가 사라진 것은 아니었다. 사랑하는 아내 강 씨에게 화를 낼 수 없었던 이성계는 이방원에게 모든 분노와 원망을 쏟았다. 이성계를 왕으로 만들기 위해 함께 노력하고 '정몽주 제거'를 함께 계획하고 동의했던 강 씨는 약속과 달리 이방원을 위해 아무런 변명도 해주지 않았다. 이성계가 이방원을 향해 느낀 분노는 이방원이 강 씨를 향해 느끼는 분노와 다르지 않았다. 이 사건 이후 단단했던 이방원과 강 씨의 연합은 완전히 부서졌고, 남은 것은 이방원에 대한 강 씨의 노골적인 견제뿐이었다.

소외당한 왕자, 이방원

1392년 7월 12일, 배극렴 등은 공양왕을 폐위하고 옥새를 대비로부터 받아냈다. 폐위된 공양왕은 강원도 원주로 유배를 떠났다. 7월 16일 정도전과 조준, 배극렴을 필두로 역성혁명을 지지하는 신하들이 옥새를 받들고 이성계의 집으로 몰려와 대문을 부수고 마당을 장악했다. 문을 닫고 사양하던 이성계는 거듭되는 요청에 옥새를 받았고 7월 17일, 이성계는 마침내 왕으로 즉위했다. 불과 며칠 전까지 공양왕이 앉아 있던 수강궁에 입성한 이성계는 감히 어좌에 앉지 못하고 서서 조회를 받았다. 그러기를 한 달, 마침내 어좌에 앉은 이성계는 개국공신 명단을 발표했다. 발표된 약 40여 명의 개국공신 명단에 이방원과 향처 한씨 소생 아들들의 이름은 모두 빠져있었다. 이방원은 허탈감과 분노를 느꼈다.

같은 날 이성계는 개국공신 정도전, 조준, 배극렴 등과 세자 책봉을 논의했다. 배극렴이 '적장자를 세우는 것이 고금의 통의'라고 말하자 이성계는 대놓고 불쾌한 표정을 지었다. 역성혁명을 반대한 이성계의 장남 이방우는 개경에 오지 않았고 고향에서 은거 중이었다. 이어서 이성계는 조준의 의견을 물었다. 조준은 '평상시에는 적장자가 우선이고, 비상시에는 공이 있는 사람이 먼저이니 세 번을 생각하라'고 답했다.

이성계는 침묵했다. 조준의 말을 따르자니 그의 아들 중 건국에 가장 큰 공이 있는 인물은 이방원이었기 때문이다. 하지만 이방원은 이성계의 외면으로 개국공신 명단에서조차 빠져있었다. 그때 문밖에서 갑자기 울음소리가 들렸다. 옆 방에 앉아 대전에서 나누는 대화를 엿듣던 왕비 강 씨의 통곡이 들리자 이성계는 서둘러 조준에게 종이와 붓을 주며 이방번 무안대군, 이성계와 강 씨의 장남의 이름을 쓰라고 종용했다.

이성계의 뜻을 알아차린 공신들은 난감했다. 이성계를 움직이는 것은 왕비 강 씨였고, 이 상황에서 세자에 대한 이성계의 마음을 돌리는 것은 불가능했다. 불편한 침묵이 이어졌다. 잠시 후 공신들은 이성계에게 의견을 올렸다. '굳이' 왕비 강 씨의 두 아들 중 세자를 세워야 한다면 이방번이 아니라 차라리 이방석이 낫다는 것이었다. 이로써 이성계는 왕비 강 씨의 마음을 달랠 수 있었고, 왕비 강 씨는 아들이 세자가 되는 것이 목적이었으니 이방번이 아닌 이방석이어도 상관없었다. 장남도 아니고, 공을 세워 능력을 입증한 적도 없는 11살의 이방석은 어머니 강 씨의 입김으로 세자가 되었다.

이렇게 조선 최초의 세자는 성리학 통치이념에 따른 적장자 계승의 명분이나 여러 대신이 두루 인정하여 추대하는 공론이 아닌, 오직 이성계의 '마음대로' 결정되었다. 이성계의 마음을 꽉 쥐고 있는 것은 왕비 강 씨였고 이성계는 이를 감추지도 않았으며 오히려 신하들이 왕비 강 씨의 눈치를 봐야 하는 상황에서 내려진 결정이었으니 전혀 군주답지 못한, 지극히 개인적인 감정이 반영된 결정이었다. 공신명단에서 누락된 것에 이어 이방석이 세자로 책봉되었다는 소식을 들은 이방원은 분노를 넘어 좌절했고 향처 한 씨의 아들들은 분통을 터트렸다. 게다가 세자책봉의 배후가 강 씨라는 것을 안 이방원은 그녀를 향한 증오심을 감출 수가 없었다.

8월 26일, 이성계는 자신이 통솔하던

사병을 의흥친군위로 편성하고 영안군 이방과이성계와 향처 한 씨의 차남, 무안군 이방번이성계와 경처 강 씨의 장남, 흥안군 이제이성계와 경처 강 씨의 사위를 절제사로, 정도전을 총책임자로 임명했다. 이방원의 이름은 또 빠져있었다. 이방원에게 주어진 것은 왕자의 신분뿐이었다. 강 씨는 강력한 권력을 손에 넣은 정도전과 손을 잡았고 그를 세자의 스승으로 임명했다. 이성계의 외면과 강 씨와 정도전의 연합으로 이방원은 권력에서 완벽하게 밀려났다.

백수 이방원의 소소하고 확실한 행복

이성계는 강 씨가 왕

비가 된 후 그녀를 더욱 각별하게 아꼈다. 하지만 이성계의 총애를 받으면서도 강 씨는 전전긍긍했다. 이방원을 배신하고 그의 정치생명까지 빼앗았기 때문이다. 그녀가 명실공히 조선의 2인자인 정도전을 세자의 스승으로 삼은 것은 세자의 안전을 보장받기 위한 일종의 보험이었다. 그래도 강 씨는 안심하지 못했고 언젠가부터 시름시름 앓기 시작했다. 이방원이 언제 반격할지 모른다는 불안이 마음을 갉아먹으며 스스로 병을 키운 것이다.

모든 것을 움켜쥔, 지켜야 할 것이 너무 크고 많았던 강 씨는 전전긍긍했으나 모든 것을 잃은 이방원은 오히려 담담했다. 강 씨와 그녀의 아들과 사위만 챙기는 이성계의 처사에 형제들이 울분을 토하고 아내와 처남들이 분노를 감추지 못할 때도 이방원은 그저 가만히 있었다. 누가 시키지 않아도 이성계를 위해 물불을 가리지 않고 뛰어다녔던 이방원은 정말로 권력을 포기한 것처럼 보였다.

이방원은 이성계를 위해 몇 번이고 목숨을 걸었고 위기를 해결했다. 위화도 회군 당시 가족을 지켜낸 것도 이방원이었고, 낙마 사고로 거동이 불편한 이성계를 개경으로 데려온 것도 이방원이었다. 그 시절 이방원은 늘 쫓기는 사람처럼 살았고 그런 남편을 지켜봐야 했던 아내 민 씨는 항상 가슴을 졸여야 했다. 하지만 정작 조선이 건국되자 이방원은 이성계의 사랑과 권력으로부터 완전히 소외당했고, 백수가 된 그에게 주어진 것은 넘치는 시간뿐이었다. 어쩌면 이 시간은 이방원이 장차 정치가이자 군왕으로 성장하기 위해 꼭 필요한, 인내심을 기르기 위한 시련이었는지도 모른다. 아무리 지나고 나면 피가 되고 살이 되는 시간이라 할지라도 괴로움의 무게가 가벼워지는 것은 아니다. 하지만 아무것도 할 수 없는 이 좌절의 시간을 이방원은 행복의 시간으로 바꿨다. 그는 조용히 지내면서 처음으로 '좋은 남편, 착한 사위, 성실한 아버지'의 역할에 충실했고 토끼 같은 자식을 부지런히 만들었다. 경안공주3녀, 양녕대군장남, 효령대군차남, 충녕대군3남, 제4대 세종이 태어난 것도 이때였다. 훗날 왕위에 오른 이방원은 이 시기를 회상하며 이렇게 말했다.

"병자년태조5년, 1396년 효령대군이 태어났는데 열흘도 되기 전에 병이 들어 홍영리의 집에 두었다. 정축년태조6년, 1397년 지금의 주상세종이 태어났다. 그때는 정도전의 무리가 나를 꺼리며 용납하지 않던 형세였다. 나는 정말로 곧 죽음을 당할 것이라 생각하여 늘 심사가 울적하기도 하고, 할 일이 없어 무료하기도 했다. 그래서 나는 대비태종비, 원경왕후 민 씨와 번갈아 가며 갓난아기를 안기도 하고 업어주기도 하며 무릎에서 떼어놓지 않았다. 이 때문에 그 아이를 다른 아이들과는 달리 끔찍이 사랑하게 되었다."

세종실록 권3, 1년 2월 3일

먼저 태어난 아들들을 일찍 잃었던 이방원은 태조3년1394년 양녕대군이 태어나자 외갓집에 맡겼다. 또한 태조5년1396년 효령대군이 태어난 지 얼마 되지 않아 열병을 앓자 서둘러 친척 집으로 보냈다. 당시에는 병이 나면 집을 옮기면 치료에 효과가 있다는 속설이 있었기 때문이다. 효령대군이 친척 집으로 가자마자 민 씨는 곧바로 임신했고 태조6년1397년, 셋째 충녕대군이 태어났다. 충녕대군은 열 달을 채우지 못하고 태어났으나 몸이 좀 약할 뿐 특별한 잔병이 없었다. 민 씨와 이방원은 이 셋째 아들만큼은 어디에도 보내지 않고 직접 키웠다. 이방원이 왕위에 오르기 전 태어난 아들 중에서 그의 품에서 자란 유일한 아들이 바로 충녕대군, 훗날의 세종이다.

사람들의 마음을 얻다

이성계가 이방원에게 준 것은 집안 대대로 내려오는 동북면함흥

지역 가별초[3] 500여 호를 내려준 것이 전부였다. 이어서 이성계의 '본관'인 전라도 절제사로 임명된 이방원은 한양에서 멀어졌다. 전라도로 내려가기 전, 이방원은 세자 경쟁에서 밀려난 강 씨의 장남 이방번에게 자신의 가별초를 넘겨주었다. 세자 자리를 놓쳤다는 동병상련의 아픔이 있는 이방번에게 특별한 호의를 보인 것이다.

별다른 반발 없이 스스로 가별초를 포기한 이방원의 행동은 그를 향한 이성계와 왕비 강 씨의 경계가 너무 지나치다는

3) 동북면에서 이성계를 따르던 사병부대로 민간 백성이었지만 수령들이 부리지 못했던 세력이다. 일명 가별치加別赤라고도 불렸다. 태종11년1411년 혁파하여 조선의 민호民戶로 편입되었다.

인상을 주었다. 그러자 욕심을 버린것처럼 보이는 이방원의 주변으로 사람들이 하나, 둘 모이기 시작했다. 그중에는 정도전의 독주를 우려하던 이성계의 의형제 이지란도 있었다. 향처 한 씨의 아들들에 대한 왕비 강 씨의 지나친 견제는 명분을 잃어갔고, 외면과 차별이라는 시련을 겪으면서도 묵묵히 견디는 이방원을 지지하는 사람들은 늘어났다. 혈기 왕성하고 야심만만한 26살의 청년 이방원은 인생에서 가장 가혹하게 힘들었던 '아무것도 할 수 없는' 시기에 마침내 자신의 세력을 하나씩 만들었다.

기회는 기다릴 줄 아는 자에게 오는 것이 아니던가. 이방원에게도 마침내 기회가 왔다. 태조2년1393년, 조선에 온 명나라 사신들은 조선이 보낸 신년 하례 표문과 전문에 명나라를 업신여기고 있다며 3년에 한 번씩만 사신을 보내라는 황제의 서신을 가져왔다. 소작농의 아들로 태어나 황제의 자리에 오른 주원장은 대단한 인물이었지만 공포정치를 일삼았고 외교 문제에서도 수시로 변덕을 부렸다. 당시 주원장이 갑자기 이런 서신을 보내 조선을 압박한 것은 조선의 해적[4]이 명나라

4) 조선을 거부한 고려인 중 도적이 된 무리

해안을 침범한 것과 요동[5] 정벌에 대한 의심 때문이었다. 주원장은 이성계의 장남이나 차남이 직접 해적 사건의 주동자를 압송해올 것을 요구했다. 이성계의 아들이 직접 충성을 증명하는 성의를 보여야 명나라를 업신여기는 조선의 '태도'를 문제 삼지 않겠다는 것이었다.

당시 이성계의 장남 이방우는 이미 세상을 떠난 후였고, 주원장에게 조선의 상황과 입장을 충분히 해명하여 마음을 돌리게 할 만한 정치 외교적 능력을 지닌 왕

5) 지금의 요녕성遼寧省 동남부 일대를 일컫는 말로 우리나라와 지리적으로 매우 가까워 각종 외교 사절과 상인들의 왕래가 빈번하게 이루어졌다. 이 지역을 놓고 중국과 우리나라 북방 유목민간의 다툼이 치열하게 벌어졌다.

자는 이방원뿐이었다. 이방원은 위화도 회군 직후인 1388년, 명나라에 사신으로 갔던 적이 있었기에 주원장을 상대한 경험이 있었다. 그동안 이방원을 철저하게 외면하며 정치에서 소외시켜 왔던 이성계는 그를 불러 눈물을 글썽이며 말했다.

"명나라 황제가 지금 우리에게 어려운 요구를 하고 있다. 네가 아니면 답할 사람이 없다."

위험하다는 신하들의 만류에도 불구하고 이방원은 조선과 이성계를 위해 사신으로 가기를 자청했다.

개성 윤開城 尹 이무李茂를 명나라에 보내서 도로를 통하게 한 것을 사례하게 하였는데, 그 표문表文에는 이러하였다.

"신은 말씀드리나이다. (중략) 삼가 거룩하신 사랑을 받아 신의 아들 이방원李芳遠과 배신陪臣 남재南在·조반趙胖·조임趙琳 등이 경사京師에 가게 되었으니, 신은 온 국민과 더불어 감격해 마지않는 바입니다. (중략) 삼가 생각하건대, 신은 외람되게 이 나라 강토를 맡음에 있어 다행히 성대를 만나 어느덧 수년을 지냈는데 털끝만한 도움도 없었지마는, 한결같은 충성으로 조공朝貢하는 직책을 잊지 아니하였습니다. 그러므로 해마다 신년 조하朝賀에 반드시 행리行李의 왕래가 있었던 것입니다. 그런데 근래에 모함하는 자의 말로 인하여 뱃길조차 막히게 되어 어찌할 바를 알지 못하고 있던 차 이번에 미천한 자식이방원이 궐정에 들어가 문안하고, 배신들이 성절聖節을 경하하여 폐하를 지척에서 뵙게 되니 신은 보통 때보다 갑절이나 기쁩니다. 이제 폐하께서 가만히 구중궁궐에 앉아 있으면서 만리 밖을 밝게 살피시고, (중략) 다시 바다 건너의 나라로 하여금 태양을 얻어 보게 하니 신은 삼가 마땅히 울타리가 되고

담기둥이 되어서 더욱 경건하게 문후問候를 닦아 자나깨나 폐하의 만수무강을 비나이다."

좋은 말 16필을 바치었다.

태조실록6권, 태조3년 8월 8일

명나라에 간 이방원은 주원장에게 상황을 잘 설명하고 외교 임무를 성공적으로 마친 후 귀국했다. 이 사건으로 이방원은 정몽주를 피살했던 이미지를 벗고 동정을 얻을 수 있게 되었다. 게다가 명나라와의 외교 문제를 잘 해결함으로써 능력을 증명하였고 백성과 신하들이 인정할만한 '공'을 세웠다. 이방원이 '바라는 것 없이 가별초에 대한 권리를 포기하고,

왕자로서 외교에 책임을 지는 모습'은 그저 이성계가 예뻐한다는 이유만으로 세자가 된 방석이나 왕자의 특권만 누리고 궂은 일은 마다하는 방번과 비교할 때 크게 돋보일 수밖에 없었다.

표전문 사건과 신덕왕후 강 씨의 죽음

태조5년1396년 2월, 황제에게 새해를 축하하기 위한 하정사[6]로 명나라에 사신으로 갔던 대학사 '유구'와

6) 정월 초하루에 중국 임금에게 신년 하례를 드리기 위해 파견하는 사신. 그 외에 황제·황후·황태자의 생일을 축하하기 위해 보내던 사신으로 '성절사'가 있다.

한성부윤 '정신의'가 억류되어 돌아오지 못하는 사건이 생겼다. 조선에서 가져간 표문[7]에 황실을 희롱하는 모욕적인 내용이 담겨있다는 이유였다. 표문을 작성한 사람이 누구인지를 묻는 주원장의 매서운 추궁에 대학사 유구는 정도전이라고 실토했다. 그러나 명나라의 상황을 모르는 조선에서는 해명을 위해 김약향을 보냈다. 표문을 지은 정도전이 아니라 김약향을 보내자 주원장은 조선이 자신을 우롱한다고 생각하여 분노했다.

7) 조선 초기 명나라에 보내던 외교문서는 크게 두 가지로 황제에게 바치는 '표문'과 황태자에게 바치는 '전문'이었다.

하정사 타각부 김을진과 압물 고인백 등이 예부의 자문을 가지고 왔다. 그 자문은 이러하였다.

"본부관이 삼가 황제의 분부를 받드니, '전자에 조선 국왕이 여러 번 흔단釁端-서로 사이가 벌어지는 단서, 실마리을 내었다고 해서, 악진岳鎭-산의 신과 해독海瀆-바다의 신 등 산천 귀신에게 고하고 상제께 전달하게 했더니, 이번에도 본국에서 보낸 사신이 올린 홍무 29년1396년 정조正朝의 표·전문表箋文 속에 경박하게 희롱하고 모멸하는 문귀가 있어 또 한 번 죄를 범했으니, 이것으로 군병을 거느리고 부정不靖-옳지 못함한 것을 다스릴 것이나, 만약에 언사가 모만侮慢-남을 업신여기며 잘난 척함하다고 해서 군사를 일으켜 죄를 묻는다면 옳지 못하니 무엇 때문일까? (중략) 이李-이성계로 하여금 흔단의 소이所以-원인를 알게 하고, 글 지은 자정도전가 도착하면 사신은 돌려보낼 것이다. 삼가 이것으로써 본부에서 지금 황제의 분부를 받들어 자문咨文으로 옮깁니다."

태조실록9권, 태조5년 2월 9일

3월, 이성계의 고명과 인장을 요청하러

갔던 계품사[8] '정총'이 억류되었다. 이유는 같았다. 표문에 황제를 모독하는 내용이 있다는 것이었다. 고명은 명나라 황제가 제후국 조선의 왕, 왕비, 세자의 책봉한다는 상징적인 문서였고 인장은 황제가 내리는 도장이었으니 고명과 인장을 받는 것은 명나라에 대한 사대를 원칙으로 건국된 조선의 정통성과 정당성을 인정받는 중요한 의식이었다. 이성계는 조선의 건국 군주였고, 명나라의 황제가 이성계에게 고명과 인장을 내리는 것은 조

8) 국왕이나 세자 책봉을 승인을 요청하기 위해 황제에게 보내던 사신. 황제의 승인이 담긴 문서를 받으면 조선에서는 다시 은혜에 감사한다는 뜻으로 '사은사'를 파견하는 것이 관례였다.

선과 명나라가 평화적이고 우호적인 관계라는 것을 의미했다. 그런데 주원장이 고명과 인장을 요청한 사신을 억류하고 이를 거부한 것이었다.

조정은 다시 발칵 뒤집힐 수밖에 없었다. 조선은 변덕이 잦은 주원장이 부디 마음을 바꾸기를 간절히 기대했으나 4월, 명나라는 억류된 사신들의 가족을 압송하지 않으면 유배에 처하겠다며 협박했다. 사실 명나라가 원하는 것은 정도전의 압송이었다. 하지만 조선에서는 정도전과 함께 표문과 전문을 작성한 '정탁'을 명나라에 보내 주원장에게 해명하게 했다. 그러자 분노한 주원장은 조선에 사신을 보내 정도전의 압송을 요구했다. 표문과

전문의 내용을 트집 잡아 조선 사신을 억류한 이 사건을 '표전문 사건'이라고 한다.

이방원이 정상적으로 돌려놓은 명나라와의 외교관계가 1년도 되지 않아 표전문 사건으로 다시 험악해지자 조정의 분위기도 심상치 않았다. 정도전을 압송하라는 황제의 칙명을 받은 명나라의 사신이 조선에 온 상황에서 정도전은 가지 않겠다고 버텼다. 이성계는 정도전을 보호하고자 했으나 조정에서는 그를 보내야 한다는 주장에 힘이 실리기 시작했다. 이때 하륜은 정도전이 직접 명나라에 가서 해명해야만 문제를 해결할 수 있다고 주장했다.

7월, 결국 이성계는 정도전을 보호하기

위해 잠시 관직에서 물러나 있도록 한 뒤, 정도전이 연로55세하고 각기병을 앓고 있어 부득이 가기 힘들다는 내용을 알렸다. 명나라 사신은 정도전 대신 권근, 정탁 등을 압송하고 하륜을 사신으로 보내 사건을 해명하도록 했다. 9월, 명나라로 압송된 권근, 정탁 등과 사신으로 간 하륜은 주원장을 알현한 후 사건을 소상하게 해명하였고 2월부터 억류 중이던 유구와 정신의를 석방하도록 설득하는 데 성공했다. 하지만 하륜은 유구, 정신의와 함께 조선으로 돌아갔으나 권근은 김약향, 정총과 함께 억류되었으니 절반의 성공이었다.

표전문 사건으로 인해 명나라와의 사이가 극도로 악화된 태조5년1396년 9월,

왕비 강 씨가 세상을 떠났다. 사랑하는 아내의 갑작스러운 죽음에 이성계는 열흘이나 조회를 하지 않을 정도로 슬퍼했다. 그는 국상 기간에 술과 고기를 먹은 신하들을 파면하고 경복궁에서 가까운 정동지금의 덕수궁 자리에 강 씨의 능을 만들고 그녀의 극락왕생을 기원하는 사찰흥천사을 건립한 후 매일 같이 능과 사찰을 오가며 슬퍼했다.

11월, 명나라에 억류되어 있던 권근, 정총, 김약향은 왕비가 승하했다는 소식을 들었다. 얼마 후 신년태조6년, 1397년 정월, 세 사람은 황제를 알현하는 자리에 참석하였다. 이때 권근은 주원장이 하사한 새 옷을 입었고 정총은 왕비 강 씨에게 조의를 표하는 차원에서 흰색 상복을 입었다. 황제를 알현하는 자리에 상복을 입고 나온 정총을 본 주원장은 격노하여 그를 감옥에 가두었고 두려움을 이기지 못한 정총은 감옥에서 도주하다가 발각되어 처형되었다. 이때 노인도와 김약항도 정총과 함께 목숨을 잃었다.

사신으로 간 정총, 김약향, 노인도가 처형되었다는 소식을 들은 이성계는 자신의 귀를 의심했다. 조선에서 사대[9]의 예로 섬기는 명나라에서 사신을 함부로 죽였다는 것을 믿을 수 없었던 것이다. 하지만 홀로 귀국한 권근이 이들의 죽음이

9) 작은 나라가 큰 나라를 섬김

사실임을 확인시켜 주었다. 표전문과 아무 관련도 없었음에도 정도전을 대신하여 명나라에 해명하러 갔다가 억류되어 끝내 목숨을 잃은 김약향의 죽음은 사람들의 동정을 살 수 밖에 없었다. 게다가 아버지의 부음을 전해 들은 김약향의 아들은 억울하고 슬픈 마음을 이기지 못해 통곡하다가 그만 미쳐버렸다. 이 사건으로 책임을 회피한 정도전은 조정 대신들로부터 인심을 잃었고 그를 지지했던 왕비 강 씨는 이제 세상에 없었다. 이방원을 가장 압박했던 왕비 강 씨가 세상을 떠나고 기세등등했던 정도전이 잠시 힘을 잃었으니 마침내 이방원에게도 기회가 찾아왔다.

송별연에서 명연기를 펼친 하륜

정도전은 자신에 대한 비난 여론이 거세지자 이성계에게 요동정벌을 주장했다. 명나라 황제 주원장이 조선의 사신들을 함부로 죽이는 것을 본 이성계는 정도전의 말에 흔들렸다. 하지만 다른 신하들은 결사반대로 맞섰다. 반대의 명분과 논리는 과거 최영 장군이 요동정벌을 주장했을 때 반대했던 이성계와 정도전의 주장과 비슷했다. 개국한 지 얼마 되지 않은 조선은 안정되지 않았고 무리하게 전쟁을 일으킬 경우 백성의 삶이 더욱 피폐해질 수 있으며 이런 시점에서 명나라를 도발하는 것은 옳지 않다는 논

리이었다.

정도전과 역성혁명을 함께해온 우의정 조준은 강력하게 전쟁에 반대했다. 자신보다 뛰어난 인재를 경계하면서 자신에게 반대하는 세력은 모두 배척했던 정도전은 권력을 장악한 동안 인재를 키우지도 않았고 인심을 얻지도 못했다. 그 결과 정도전의 곁에는 남은과 심효생세자 이방석의 장인 정도만이 남아 있었고, 결국 요동 정벌은 잠시 보류 상태로 접어들었다. 그러나 정도전은 포기하지 않았다. 태조 7년1398년, 정도전은 다시 요동 정벌을 주장하며 진법 훈련과 함께 사병[10] 혁파를 건의했다. 왕자들이나 군관들이 소유한 사적인 병력을 모두 국가의 정규군으로 편입시키자는 주장이었다.

당시 왕자와 공신들은 각자 사병과 무기, 말 등을 보유하고 있었다. 통일신라 때부터 이어져 온 사병은 고려 시대 권력자들이 소유한 필수요소였고 국가 위기나 역모 발생 시 가장 먼저 진압할 수 있는 병력이었다. 군인 출신이었던 이성계 또한 '가별초'라는 사병집단을 바탕으로 역성혁명에 성공할 수 있었고 조선 건국

10) 국가가 아닌 특정한 개인 또는 집단에 사적으로 예속되어 있는 무력집단

후 신변의 안전을 도모할 수 있었다. 따라서 생사고락을 함께해온 사병을 국가에 귀속시킨다는 것은 힘을 빼앗긴다는 것과 같았고 사병 혁파의 주체가 정도전이라는 것은 요동정벌의 반대를 원천 봉쇄하겠다는 선언으로 들렸다. 요동 정벌을 주장했을 때만큼이나 사병 혁파에 대한 강력한 반발이 잇달았다. 하지만 정도전의 뒤에는 이성계가 있었고, 정도전은 사병 혁파를 밀어붙였다.

왕비 강 씨를 잃은 슬픔에서 조금씩 회복되기 시작한 이성계는 사병 혁파와 진법훈련을 승인하였고 직접 군사훈련을 지휘하며 의욕을 보였다. 이성계가 힘을 실어주자 정도전과 남은은 사병 혁파를 거세게 몰아붙이며 왕자들을 압박했다. 이 무렵 정도전은 갑자기 하륜을 충청도 관찰사로 발령했다. 자신에게 반대하는 인물에게 미리 손을 쓴 것이다.

우울한 분위기 속에서 충청도 관찰사로 부임하기 위해 한양을 떠나는 하륜을 위한 송별연이 열렸다. 그리고 이 자리에 이방원도 참석하였다. 술이 몇 번 돌았을 때, 하륜은 기지를 발휘하여 취한 척 횡설수설하며 이방원에게 술을 쏟았다. 왕자에게 술을 쏟은 것은 큰 결례였기에 분위기는 순식간에 싸늘하게 굳었다. 심기가 불편해진 이방원은 술자리에서 일찍 일어났다. 그러자 하륜은 아무래도 사과해야겠다며 이방원을 따라나섰다. 이방원과의 사적인 만남이 정도전의 귀에 들어가지 않도록 사람들이 보는 앞에서 명연기를 펼친 것이다.

이윽고 이방원과 둘만의 자리가 만들어지자마자 하륜은 정도전에게 선수를 치는 것만이 살길이라고 말했다. 선제공격이 최선이자 유일한 방어라는 뜻이었다. 이방원도 짐작하던 바였다. 하지만 이미 사병과 무기의 대부분을 빼앗긴 마당에 무슨 수로 선수를 칠 것인지가 막막했다. 그러자 하륜은 미리 연락을 취해둔 안산군수 이숙번과 300명의 군사가 이방원을 따를 것이라고 말했다. 이성계와 정도전에게 맞서기에는 터무니 없이 부족한 군사였으나 요동 정벌을 내세워 사병

혁파를 강행한 정도전의 공격에 속수무책으로 당하기만 하던 이방원에게는 천군만마와도 같은 지원이었다.

운명의 날, 1차 왕자의 난

하륜의 말처럼 사병혁파에 대한 압박은 점점 강해졌다. 8월 4일, 사헌부는 진법을 익히지 않은 292명의 상장군, 대장군, 절제사, 군관 등을 탄핵했다. 이 중에는 이방원을 비롯한 다수의 종친도 포함되어 있었다. 결국 이방원은 최후의 보루와도 같았던 소수의 병권마저 모두 빼앗겼다. 이때 이방원의 아내 민 씨가 몰래 미리 무기의 일부를 빼돌렸으나 정도전에게 맞서기에는 터무니없는 수준이었다. 이대로라면 모든 군사와 병력이 정도전의 손에 귀속될 것이 불 보듯 뻔했다. 그런데 변수가 발생했다. 이성계의 건강이 급격히 나빠진 것이다.

8월 14일, 거동이 어려워진 이성계는 병석에 누웠다. 그러자 정도전은 세자 이방석을 제외한 다른 왕자들이 이성계를 만날 수 없게 막았다. 병문안은커녕 궁궐 출입조차 통제하는 정도전의 선을 넘은 행동에 왕자들과 종친들은 분노했다. 온화하게 중립을 지켜왔던 종친들조차 정도전에 대한 반발과 분노가 터져 나오기 직전이었다. 바로 이때, 이방원은 은밀하고 과감하게 군사를 일으켰다. 그의 병력은 소수였고 아내 민 씨가 빼돌린 무기들은 무장하기에 턱없이 부족했으나 종친 대부분과 이성계의 의형제 이지란, 이방원의 처남인 민무구와 민무질 등이 이방원에게 협력하였다.

8월 26일, 이방원은 자신을 따르는 사람들과 함께 정도전이 있는 남은의 첩이 사는 집에 들이닥쳤다. 술을 마시고 있던 정도전과 남은, 심효생은 무방비상태로 죽음을 맞았다. 순식간에 일어난 일이었다. 정도전을 제거한 이방원은 이성계가 있는 경복궁으로 향했다. 이때 이숙번과 그의 군사 300명은 경복궁 주변을 에워싼 채 이방원의 '거사'를 도왔다. 무기가 없는 사람은 나무 몽둥이를 손에 들었다.

마침내 병석에 누운 이성계와 만난 이방원은 세자 이방석을 요구했다. 이방석이 할 수 있는 일은 이성계의 뒤에 숨어 있는 것이 전부였다. 결국 이방석은 그날로 폐위되어 목숨을 잃었다. 동생을 돕지 않은 채 사태를 관망하던 이방번과 신덕왕후 강 씨의 사위 '이제'도 목숨을 잃었다. 승자가 된 이방원은 변란의 책임을 패자인 세자와 정도전에게 돌렸다. 태조7년1398년 무인년에 일어난 1차 왕자의 난은 이렇게 마무리 되었다.

이성계 가계도

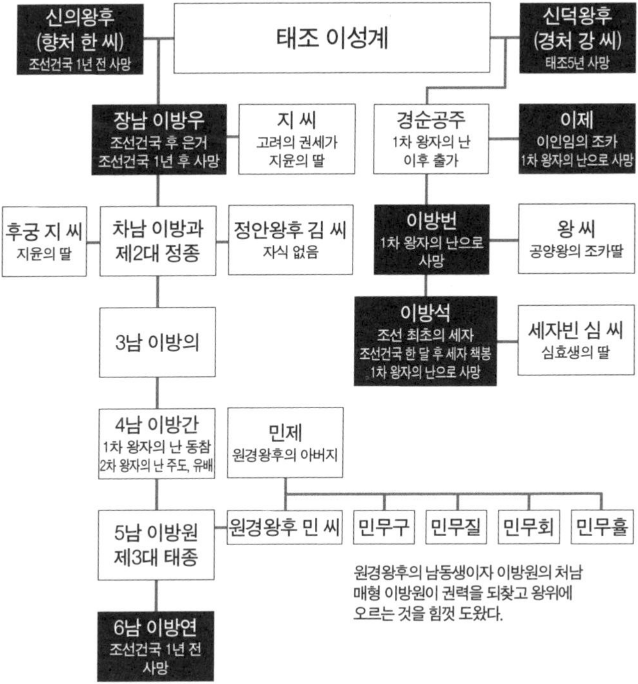

신의왕후
(향처 한 씨)
조선건국 1년 전 사망
태조 이성계
신덕왕후
(경처 강 씨)
태조5년 사망
장남 이방우
조선건국 후 은거
조선건국 1년 후 사망
지 씨
고려의 권세가
지윤의 딸
경순공주
1차 왕자의 난
이후 출가
이제
이인임의 조카
1차 왕자의 난으로 사망
후궁 지 씨
지윤의 딸
차남 이방과
제2대 정종
정안왕후 김 씨
자식 없음
이방번
1차 왕자의 난으로
사망
왕 씨
공양왕의 조카딸
3남 이방의
이방석
조선 최초의 세자
조선건국 한 달 후 세자 책봉
1차 왕자의 난으로 사망
세자빈 심 씨
심효생의 딸
4남 이방간
1차 왕자의 난 동참
2차 왕자의 난 주도, 유배
민제
원경왕후의 아버지
5남 이방원
제3대 태종
원경왕후 민 씨
민무구
민무질
민무회
민무휼
원경왕후의 남동생이자 이방원의 처남
매형 이방원이 권력을 되찾고 왕위에
오르는 것을 힘껏 도왔다.
6남 이방연
조선건국 1년 전
사망

이성계의 양위와 이방과의 즉위

사랑하는 아내를 잃고 그녀가 남긴 두 아들 그리고 사위와 정도전까지 잃은 이성계는 왕위에 대한 미련을 깨끗하게 버렸다. 그에게 남은 것은 이방원에 대한 분노뿐이었다. 9월 5일, 이성계는 차남 이방과에게 왕위를 물려주었다. 당시 이방과는 아버지 이성계의 쾌유를 위해 소격전[11]에서 기도를 올리고 있어서 왕자의 난에 직접 동참하지 않았

11) 조선시대 심신을 청정히 하고, 제단을 만들어 신에게 술과 음식을 바치는 제사를 지내던 도교식 사원으로 세조12년1466년 소격서로 이름을 바꿨다.

다. 북방을 호령하며 전쟁의 신으로 불렸던, 조선을 건국한 명장 이성계는 이방원이 아닌 이방과에게 왕위를 물려주는 것으로 위안해야 했다. 이방과는 비록 차남이었지만 이성계와 신의왕후 한 씨의 장남 이방우는 이미 세상을 떠난 후였기에 이방과는 장남이나 다름없었고 '장자 계승'의 원칙에도 맞았다.

이방원은 이성계의 선택을 담담하게 받아들였다. 권력에서 밀려났던 7년의 세월은 성급한 청년이었던 그를 성숙한 정치가로 성장시켰다. 이방원에게 이성계는 더 이상 넘을 수 없는 벽도, 두려운 존재도 아니었다. 게다가 이방과와 정실부인 김 씨 사이에서는 자식이 아예 없었기에 참고 기다린다면 임금이 될 기회는 얼마든지 있었다. 오히려 이방과의 즉위는 이방원이 왕위를 차지하기 위해 이복동생을 죽였다는 세간의 비난을 피하고 이성계의 분노가 잠잠해질 수 있는 시간을 벌어준 셈이었다.

이방과정종는 왕위에 오른 후 곧바로 1차 왕자의 난에서 공을 세운 29명을 정사공신으로 임명했다. 개국공신에서도 제외되었던 이방원은 1등 공신에 이름을 올렸다. 그 외에 이화이성계의 이복동생, 이방의이성계의 3남, 이방간이성계의 4남을 비롯하여 선제공격만이 살 길이라며 난을 준비하고 계획했던 하륜 등 총 12명이 1등 공신으로 임명되었다. 이지란이성계의 의형제과 민무구와 민무질 형제이방원의 처남들, 이숙번하륜의 계획에 따라 이방원에게 300명의 군사를 지원한 안산군수 등 17명은 2등 공신으로 임명되었다. 그해 12월, 정종은 개국공신으로 이방원, 이방의, 이방간을 추가 임명했다. 마침내 개국공신 명단에 이방원의 이름이 올라갔다.

2차 왕자의 난과 이방원의 즉위

이방과는 왕위에 오르긴 했으나 위로는 아버지 이성계의, 아래로는 동생 이방원의 눈치가 보였다. 그는 형제간의 골육상잔이 일어난 수도 한양이 낯설고 불편했다. 정종1년1399년 3월,

이방과는 고려의 옛 수도 개경으로 천도했다. 하지만 개경에서 또 한 번의 골육상잔이 일어났다.

1차 왕자의 난 때 이방원의 편에 섰던 사람 중 '박포'라는 인물이 있었다. 자신이 2등 공신으로 책봉된 것이 불만이었던 박포는 1차 왕자의 난 이후 왕위와 확 가까워진 이방원에게 질투를 느끼던 이방간을 부추겨 군사를 일으켰다. 이방원은 이방간의 군사를 바로 진압했다. 소식을 들은 하륜은 곧바로 입궁하여 이방과에게 이방간을 회유하는 문서를 받았다. 이방간의 난은 명분을 잃었고, 반나절만에 끝났다. 이방원은 눈물을 흘리며 형을 체포했고, 생포된 이방간도 뒤늦게 눈물을 흘리며 반성했다. 이방과는 박포는 처형하되 이방간에게는 유배형을 내려 목숨을 지켜주었다. 정종2년1400년 1월, 개경에서 일어난 2차 왕자의 난은 이렇게 마무리되었다.

건국 10년이 채 지나기도 전, 조선은 왕위를 두고 두 번의 난을 치렀다. 태조 이성계는 왕위를 내려놓고 고향으로 돌아가 상왕의 지위를 지키고 있었고 이방과는 형제들의 다툼을 지켜봐야 하는 것이 괴로웠다. 이방과는 최대한 빨리 사건을 수습하고 해결하여 안정을 찾아야겠다고 생각했고 이방원도 같은 생각이었다. 예의와 체면 때문에 왕위를 기다리는 것은 의미가 없었다.

2차 왕자의 난을 진압한 그 날, 남재는 궁궐 뜰에 서서 이방과가 있는 대전을 향해 이방원을 즉시 세자로 삼아야 한다고 소리쳤다. 남재는 이방원이 명나라에 사신으로 갈 때 동행했던 인물로 정도전의 심복 남은의 형이다. 남은이 제거된 후 남재도 연좌[12]되어 잠시 유배형을 받았으나 동생과 달리 이방원의 편에 서서 목숨을 건질 수 있었다. 남은이 이방과를 향해 '이방원을 세자로 삼아야 한다'고 소리

12) 주로 봉건사회의 왕조국가에서 대역죄, 즉 국가 반역 행위 또는 왕가나 체제에 도전한 행위를 한 죄인의 죄를 가족·친지들에게도 함께 묻는 제도이다. 자녀·부모나 형제는 물론 삼촌·사촌이나 그 밖의 친족에게까지 연루시키기도 하였다.

친 바로 다음 날 하륜은 이방과에게 '정몽주의 난', '정도전의 난1차 왕자의 난', '박포의 난2차 왕자의 난'을 진압한 이방원을 세자로 책봉하라는, 협박에 가까운 강경한 상소를 올렸다.

정종2년1400년 2월 4일, 이방과는 결단을 내렸고 동생인 이방원을 세자로 책봉했다. 드디어 이방원이 왕위에 오를 합법적이고 정당한 후계자가 된 것이다. 이어서 하륜과 남재 그리고 권근이 세자 이방원을 보필할 최측근으로 임명되었다. 같은 해 11월, 34살의 이방원은 마침내 조선의 3대 왕으로 즉위했다. 이방원에게 왕위를 물려준 이방과는 새로운 상왕이 되었고, 이미 상왕으로 물러난 이성계와 구분하기 위해 이성계는 태太상왕이라고 불리게 되었다. 건국 8년, 조선에는 살아 있는 왕이 세 명이나 있었다.

이방원이 마침내 왕위에 오르자 1차 왕자의 난과 2차 왕자의 난에서 공을 세운 공신들은 저마다 2인자를 자처했다. 목숨을 걸고 이방원의 즉위를 도와준 공신들로 가득한 조정에서 이방원은 놀라운 정치력으로 왕권을 강화하고 오만함에 빠진 신하들을 충신으로 탈바꿈시켰다. 충신과 반역자의 판단기준은 오직 이방원에게만 있었기에 조정은 위험천만한 위기와 드라마틱한 반전이 난무했고 그때마다 이방원의 왕권은 점점 군건해졌다. 총성 없는 전쟁터 같은 이방원의 조정에서 2인자의 자리를 차지한 것은 '섬김의 자세'를 갖춘 준비된 처세의 신, 하륜이었다.

연표로 보는 신덕왕후 강 씨와 이방원의 상황

	이방원	신덕왕후 강 씨
1367년	고려 공민왕16년, 이방원이성계와 향처 한 씨의 5남 탄생	
1368년	고려 공민왕17년, 주원장홍무제, 남경 함락 및 황제 즉위	
1371년	고려 공민왕20년	이성계와 경처 강 씨의 장녀, 경순공주 탄생
1381년	고려 우왕7년	이성계와 경처 강 씨의 장남, 이방번 탄생
1382년	고려 우왕8년, 이방원 진사시 2등 합격, 성균관에 입학 명문 여흥 민 씨 가문의 여식과 혼인	이성계와 경처 강 씨의 차남, 이방석 탄생

1384년	고려 우왕9년, 이방원 병과 7등, 전체 10등으로 문과 급제	
1388년	고려 우왕14년, 이성계 위화도 회군	
1392년	공양왕 이성계에게 양위 이성계, 임금으로 즉위	이방석 세자 책봉
1394년	태조3년, 양녕대군 탄생 이방원, 남재 등과 명나라에 사신으로 감	
1396년	표전문 사건 발생 조선 사신 억류 및 정도전 압송 요구 효령대군이방원과 원경왕후 민 씨의 차남 탄생	태조5년, 신덕왕후 강 씨 승하
1397년	정총, 김약향, 노인도 처형	태조6년, 이성계 홍천사 건립 신덕왕후 강 씨 천도회 주관

1398년	1차 왕자의 난, 이성계 양위 이방과이성계와 향처 한씨 차남, 2대 정종공정왕으로 즉위	이방석, 이방번, 이제경순공주 남편, 신덕왕후의 사위 유배 및 처형 정도전, 남은 등 처형
1399년	정종1년, 개경 천도환도	
1400년	정종2년, 2차 왕자의 난 이방원 세자 책봉 및 즉위	
1402년	연왕 주체, 정난의 변을 일으켜 조카 건문제의 제위를 빼앗아 제3대 영락제로 즉위	하륜, 축하 사절로 명나라 가서 태종의 고명과 인신 받아옴

무력으로 이루어진 정권교체, 영락제와 태종

1398년 주원장이 승하했을 때 후계자였던 황태손 주윤문은 고작 21살이었다. 적장자였던 의문태자 주표는 주원장보다 먼저 세상을 떠났고, 황태손으로 책봉된 손자 주윤문의 힘은 아직 미약했다. 이를 염려한 주원장은 혹시 모를 반란을 방지하기 위해 아들들에게 초상을 치르기 위해 남경수도으로 오지 말라는 유언을 남긴다. 제2대 황제로 즉위한 주윤문은 군사력을 지닌 숙부들을 견제하였고, 이에 반발한 주원장의 아들들은 주윤문에 대항하여 군사를 일으켰다. 이 때 주도적인 역할을 한 것이

바로 주원장의 하나 남은 적자 '주체'였다. 1402년, 주체는 조카이자 황제건문제인 주윤문이 있는 수도 남경을 함락하고 제3대 황제영락제로 즉위한다. 이를 '정난의 변'이라고 한다.

'정난의 변'은 여러 가지로 '제1차 왕자의 난'과 닮은 점이 많았고 영락제와 이방원 또한 비슷한 점이 많았다. 1398년 8월 26일, 정도전에게 반발한 종친들과 권력에서 소외된 대신들의 지지를 받으며 군사를 일으킨 이방원은 한 자리에 모여 술을 마시던 정도전과 남은, 심효생의 목을 베었다. 바로 그날 적장자 계승의 원칙을 깡그리 무시한 채 세자에 책봉된 이방석도 이복 형 이방원의 손에 목숨을 잃었다. 그로부터 약 열흘 후인 9월 초, 태조 이성계는 차남 이방과에게 왕위를 물려주고 상왕으로 물러났다. 이것이 바로 제1차 왕자의 난이다. 신생국가인 명나라와 조선 모두 같은 해에 무력으로 인해 정권이 교체된 것이다.

명나라와 조선의 제2대 군주는 '짧은 재위'라는 점에서 운명이 비슷했다. 1400년, 야심가 이방원은 친형 이방과에게 왕위를 물려받아 조선의 제3대 임금으로 즉위했다. 2년 후인 1402년, 역시나 야심만만했던 주체는 남경을 함락하며 정난을 마무리하였고 행방불명된 조카 건문제를 대신하여 명나라의 제3대 황제영락제로 즉위하였다.

영락제는 22년 동안 재위하면서 수도를 남경에서 북경으로 천도하고 대대적인 정벌 사업을 하며 명나라의 전성기를 이끌었다. 그는 특히 조선 여인을 선호하여 여러 차례 공녀를 요구하였고 공녀 중 마음에 드는 여인은 후궁으로 맞기도 했다. 그가 후궁으로 맞은 조선의 공녀 중에는 조선 제9대 임금 성종의 어머니 인수대비의 고모도 포함되어 있었다. 조선 제3대 태종 이방원1422년 승하과 명나라 제3대 황제 영락제 주체1424년 승하는 세상을 떠난 시기도 비슷했도 묘호도 '태종太宗'으로 같았다. 다만 영락제는 훗날 제11대 가정제에 의해 '성조(成祖)'로 묘호가 바뀐다.

ㅏ, 드라마로 만나는 조선의 왕

조선 임금	영화	드라마
조 이성계 5-1408 ㅓ 1392-1398조선 임금 ㅓ 1398-1400조선 상왕 ㅓ 1400-1408조선 태상왕	〈해적, 바다로 간 산적, 2014〉 〈순수의 시대, 2015〉	〈용의 눈물, 1996-1998〉 〈대풍수, 2012〉 〈정도전, 2014〉 〈하녀들, 2014〉 〈육룡이 나르샤, 2015-2016〉 〈나의 나라, 2019〉
대 태종 이방원 7-1422 ㅓ 1398-1400조선 세자 ㅓ 1400-1418조선 임금 ㅓ 1418-1422조선 상왕	〈나는 왕이로소이다, 2012〉	〈태종 이방원, 2021-2022〉 〈원경, 2025〉
대 세종대왕 7-1450 ㅓ 1418조선 세자 ㅓ 1418-1450조선 임금 대 문종 4-1452 ㅓ 1421-1450조선 세자 ㅓ 1450-1452조선 임금	〈나랏말싸미, 2019〉 〈천문, 2019〉	〈대왕 세종, 2008〉 〈뿌리 깊은 나무, 2011〉 〈장영실, 2016〉 〈홍천기, 2021, 퓨전사극〉
대 단종 1-1457 ㅓ 1448-1450조선 왕세손 ㅓ 1450-1452조선 세자 ㅓ 1452-1455조선 임금 대 세조수양대군 7-1468 ㅓ 1455-1468조선 임금	〈관상〉 〈광대들, 풍문조작단, 2019〉	〈한명회, 1994〉 〈왕과 비, 1998-2000〉 〈사육신, 2007〉 〈왕과 나, 2007-2008〉 〈공주의 남자, 2011〉 〈인수대비, 2011-2012〉 〈대군-사랑을 그리다, 2018〉

연표로 보는
건국 초기 조선과 명나라의 주요 사건

	원, 명나라	고려, 조선
1356년	순제황후-고려 출신 기 씨	공민왕 5년, 쌍성총관부 철폐, 이자춘 및 이성계 재귀화
1368년	주원장홍무제, 남경 함락 및 황제 즉위	공민왕 17년
1388년	주원장홍무제, 대도북경 함락 고려에 철령 이북의 영토 반환 요구	우왕 14년 이성계, 위화도 회군 및 개경 함락
1392년	황태자 '주표' 승하, 황태손 주윤문건문제 후계자 임명	공양왕 이성계에게 양위 이성계, 임금으로 즉위
1396년	표전문 사건 발생 조선 사신 억류 및 정도전 압송 요구	태조5년, 신덕왕후 강 씨 승하

1397년	조선 사신 정총, 김 약향, 노인도 처형	태조6년, 정도전 요동정벌 주장
1398년	주원장홍무제 승하, 건문제 즉위	태조7년, 사병혁파 실시 제1차 왕자의 난, 제2대 정종 즉위
1399년	연왕 주체영락제 반란 주도, '정난의 변'	정종1년, 한양에서 개경으로 환도
1400년		정종2년 제2차 왕자의 난, 제3대 태종 즉위
1402년	제3대 영락제로 황제 즉위	하륜, 축하 사절로 명나라 가서 태종의 고명과 인신 받아옴
1417년	영락제, 한 확의 누이를 후궁으로 맞음 한 확에게 '광록시 소경'의 벼슬을 하사	태종17년, 수양대군세조 탄생

한장면 조선왕 조실록

〈한 장면으로 시작하는 조선왕조실록〉 시리즈
역사를 읽는 새로운 방식, 중요한 역사를 만든 그 날의 한 장면부터 시작해 역사 속 인물을 더욱 입체적으로 들여다봅니다. 왕과 신하, 왕비와 궁녀, 충신과 간신, 사랑과 음모, 전쟁과 개혁까지 조선왕조실록이 기록한 그 날을 재현합니다.

한 장면으로 시작하는 조선왕조실록 2

이방원, 스스로 세자가 되다

초판 1쇄 발행 2025년 8월 31일

지은이 조민기
펴낸이 김태영

씽크스마트
경기도 고양시 덕양구 청초로 66
덕은리버워크 지식산업센터 B동 1403호

전화 02-323-5609
홈페이지 www.tsbook.co.kr
블로그 blog.naver.com/ts0651
페이스북 @official.thinksmart
인스타그램 @thinksmart.official
이메일 thinksmart@kakao.com

씽크스마트 더 큰 세상으로 통하는 길
'더 큰 생각으로 통하는 길' 위에서 삶의 지혜를 모아 '인문교양, 자기계발, 자녀교육, 어린이 교양·학습, 정치사회, 취미생활' 등 다양한 분야의 도서를 출간합니다. 바람직한 교육관을 세우고 나다움의 힘을 기르며, 세상에서 소외된 부분을 바라봅니다. 첫 원고부터 책의 완성까지 늘 시대를 읽는 기획으로 책을 만들어, 넓고 깊은 생각으로 세상을 살아갈 수 있는 힘을 드리고자 합니다.

도서출판 큐 더 쓸모 있는 책을 만나다
도서출판 큐는 울퉁불퉁한 현실에서 만나는 다양한 질문과 고민에 답하고자 만든 실용교양 임프린트입니다. 새로운 작가와 독자를 개척하며, 변화하는 세상 속에서 책의 쓸모를 키워갑니다. 홍겹게 춤추듯 시대의 변화에 맞는더 '쓸모 있는 책'을 만들겠습니다.

ISBN 978-89-6529-441-2 (04910)

3분만에 읽는 조선왕조실록
광해군을 움켜쥔 궁녀
조민기 지음
3분만에 읽는 조선왕조실록
국정을 농단한 왕비
조민기 지음
3분만에 읽는 조선왕조실록
부관참시 당한 비선실세 궁녀
조민기 지음

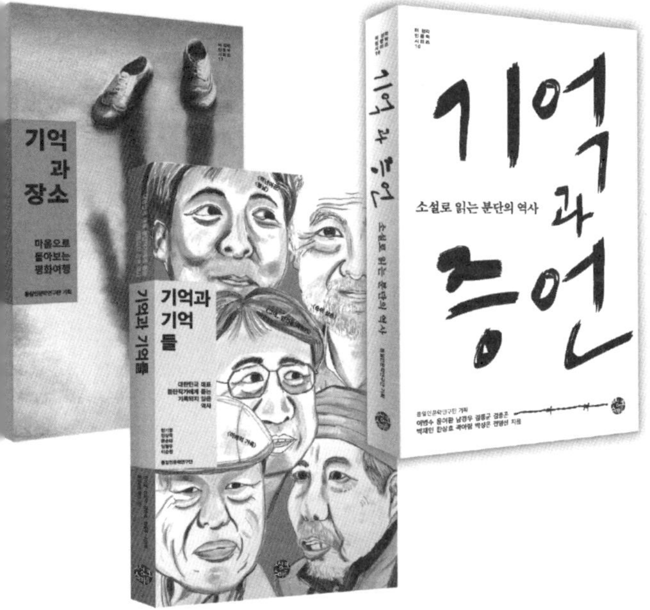

기억의 이야기들로 우리를 돌아봅니다

건국대학교 통일인문학연구단 X 씽크스마트 공동기획